D1093568

RETIRÉ DE LA COLLECTION UNIVERSELLE
Bibliothèque et Archives nationales du Québec

MON FURET

IL S'APPELLE ....

MÂLE ☐   FEMELLE ☐

DATE DE NAISSANCE ....

RACE ....

COULEUR ....

SIGNES PARTICULIERS ....

....

....

....

Bibliothèque et Archives nationales du Québec

Projet graphique de la couverture : Studio Tallarini

Photos fournies par Marta Avanzi

Dessins de Chiara Dissette

Traduction : Elsa Coulibaly

© 2006 Éditions De Vecchi S.A. – Paris
Imprimé en Italie

La loi du 11 mars 1957 n'autorisant, aux termes des alinéas 2 et 3 de l'article 41,
d'une part, que les « copies ou reproductions strictement réservées à l'usage privé
du copiste et non destinées à une utilisation collective » et, d'autre part, que les analyses
et les courtes citations dans un but d'exemple et d'illustration, « toute représentation ou
reproduction intégrale, ou partielle, faite sans le consentement de l'auteur ou de ses
ayants droit ou ayants cause est illicite » (alinéa 1er de l'article 40).
Cette représentation ou reproduction, par quelque procédé que ce soit, constituerait
donc une contrefaçon sanctionnée par les articles 425 et suivants du Code pénal.

*Achevé d'imprimer en mars 2006
à Bergame (Italie), sur les presses de Grafiche Print*

*Dépôt légal : mars 2006
Numéro d'éditeur : 9351*

Sommaire

Sa vie en compagnie de l'homme

Vif, intelligent et joueur, le furet fait de plus en plus souvent son entrée dans nos maisons au détriment du chien, bien plus contraignant. De plus, son alliance avec l'homme est très ancienne.

Il est peut-être incapable de rivaliser avec le chat, apprivoisé depuis 6 000 ans, ou avec le chien, arrivé dans nos cavernes il y a 12 000 ans, mais plus de trois millénaires passés en notre compagnie ne sont pas quantité négligeable.

Du chasseur...

Selon plusieurs documents historiques, il semble que les premiers furets aient été domestiqués dans l'Égypte ancienne vers 1300 avant J.-C. Ils avaient pour fonction

d'éliminer les horribles rongeurs comme les rats et les souris, même s'ils ont ensuite été remplacés par les chats, qui supportaient mieux la chaleur.

Le furet que nous connaissons aujourd'hui, cependant, est issu selon toute vraisemblance du putois européen, auquel il ressemble énor-

Difficile de résister à ce petit museau; d'autant plus que, lorsqu'il s'habitue à vivre avec l'homme, le furet devient aussi «casanier» qu'un chien ou un chat.

mément. Il y a environ 2 000 ans, les Grecs et
les Romains l'utilisaient pour la chasse,
exploitant son agilité qui lui permettait de se
faufiler dans les refuges et les galeries creusées
par le gibier, où il réussissait à le débusquer.

... à l'animal de compagnie

En revanche, la popularité des furets en tant qu'animaux de compagnie est relativement récente et due au fait que la stérilisation (cette même opération qui s'effectue sur les mâles et les femelles d'autres espèces pour éviter qu'ils aient des petits) permet d'éliminer définitivement l'odeur caractéristique qu'ils dégagent et qui les rendrait évidemment peu adaptés à la vie en appartement.

Il aime se faire caresser, câliner et, une fois éliminée l'odeur que dégagent ses cousins sauvages, il sent vraiment…. la rose.

Ses parents

Belette

Grâce à sa petite taille et à sa très grande agilité, elle réussit à s'introduire dans les galeries des souris pour dévorer les... propriétaires de la maison. Il existait autrefois de nombreuses légendes sur cet animal gracieux, considéré comme insatiable et doté de pouvoirs magiques.

Hermine

Menue et très élégante, avec son museau fin et ses yeux espiègles, elle inspire immédiatement la sympathie. En hiver, elle est d'un blanc immaculé, à part l'extrémité de sa queue qui est noire ; en été, son dos devient marron clair, avec des nuances noisette ou rosées, tandis que son ventre est d'un blanc jaunâtre. Dans la pratique, c'est comme si elle endossait la « tenue de camouflage » la plus adaptée à la saison pour passer inaperçue.

Glouton

Semblable à un petit ours, il vit en Europe, en Asie et en Amérique, dans les forêts du Nord. C'est un animal plutôt solitaire qui, chaque soir, avec ses pattes robustes et armées de puissantes griffes, creuse une tanière dans laquelle passer la nuit. Carnivore, il attaque ses proies à l'air libre mais se retrouve souvent « les mains vides » car celles-ci réussissent à s'échapper.

Martre

Elle court, grimpe, fait des sauts de 2 ou 3 mètres, rampe, nage... Ce « lutin » des bois très agile a un physique parfait pour la chasse. Demandez à un écureuil quel prédateur il craint le plus et il n'aura aucun doute : la martre.

Ce sympathique animal est très apprécié aux États-Unis, qui comptent des millions de furets domestiques. Ce n'est pas tout : il existe des clubs et des associations de passionnés, des revues spécialisées, des sites Internet, des entreprises qui fabriquent des cages, des jouets

Très bel exemplaire de vison.

Putois

Tout le monde l'évite à cause de son odeur très forte et désagréable à laquelle il doit son nom étrange. Il ne s'agit cependant que d'une arme pour se défendre. En réalité, ce mustélidé est reconnaissable au petit masque blanc qui entoure ses yeux. Il est pacifique et prudent, même s'il fait preuve d'un courage extraordinaire qui le pousse à attaquer des animaux bien plus grands que lui.

Blaireau

Timide et suspicieux, il attend le coucher du soleil pour se déplacer avec une circonspection extrême, se mouvant gauchement à la recherche d'un peu de nourriture (racines, tubercules, fruits sauvages et miel « volé » aux abeilles). Du reste, il n'a pas tellement besoin de la lumière du soleil car il est plutôt... myope. En revanche, il a un odorat et une ouïe très fins et c'est un excellent mineur : il creuse des tanières enchevêtrées, qu'il est souvent contraint de partager avec des renards.

Vison

À l'état sauvage, il vit de préférence près d'un lac, d'un fleuve, d'un torrent, non seulement parce qu'il aime beaucoup nager mais aussi parce qu'il trouve dans l'eau son aliment préféré : le poisson. Sur terre, c'est un bon coureur et il est capable de grimper aux arbres pour razzier des œufs et des oisillons.

et des hamacs uniquement pour eux. En somme, après des siècles de vie auprès de l'homme, le furet est devenu un animal docile et « casanier », si dépendant de nous qu'il ne parviendrait plus à se débrouiller seul.

Je vais avoir un furet

C'est un animal silencieux, propre et très tendre. Il est facile de prendre soin de lui car il s'adapte bien à la vie en appartement. Cependant, ceux qui désirent avoir un furet doivent savoir qu'il a aussi besoin d'attention et de respect.

Sympathique, docile comme un chien et « éveillé » comme un chat, avec son regard malin et attentif, il est doux comme une peluche… Comment résister à la tentation d'en emmener un chez soi ? Néanmoins, avant de prendre ce type de décision, il faut avoir conscience qu'un furet est un animal vif et sensible, qui doit être aimé et respecté (ce n'est pas un jouet que l'on oublie dès qu'il n'est plus nouveau).

La chose la plus importante est donc son bien-être, fait de moments de « liberté » hors de la cage pour jouer et courir, mais aussi de notre présence et du temps que nous pouvons lui consacrer : lorsqu'on lui donne à manger, on le « surveille » pour être certain que tout va bien, on lui apprend quelques ordres, on nettoie sa cage, on s'aperçoit qu'il est fatigué et

Sommes-nous les bons « maîtres » ?

Voici dix questions que tout futur maître devrait se poser avant d'acheter un furet. Si la réponse est toujours « oui », il n'y a aucun doute : on sera en mesure de lui offrir une vie très belle et confortable en notre compagnie. En revanche, s'il y a quelques « non », il vaut mieux y réfléchir encore un peu.

1. Dispose-t-on d'au moins une heure par jour pour lui donner à manger, nettoyer sa cage, le cajoler et jouer avec lui ?

2. S'il reste seul à la maison, le furet souffre de la solitude. Peut-on envisager d'acheter un « petit frère » (ou un autre animal) pour lui tenir compagnie ?

3. Y a-t-il une pièce calme dans laquelle installer sa cage ?

4. Est-on disposé à le laisser libre de se déplacer quelque temps dans la maison chaque jour ?

5. Y a-t-il une pièce sûre ou est-il possible d'en aménager une où il ne se mettra pas dans une situation difficile et ne causera pas non plus de dégâts ?

6. Pourra-t-on éviter de se fâcher si l'on trouve ses déjections dans toute la maison ?

7. Pendant les vacances, peut-on l'emmener avec soi ou trouver une solution adaptée ?

8. S'il y a déjà un animal à la maison, s'occupera-t-on bien des deux pour les aider à s'entendre ?

9. L'idée d'avoir un furet plaît-elle à toute la famille ?

10. Est-on certain qu'aucun membre de la famille n'est allergique aux poils ?

qu'il a envie qu'on le laisse tranquille. Et pas seulement le premier jour, mais pendant tout le temps qu'il passera avec nous.

Où le trouver ?

Les animaleries sont naturellement l'endroit le plus logique mais, en lisant les petites annonces sur le journal ou en se connectant à l'un des sites Internet consacrés aux animaux, on peut découvrir des propositions d'« adoption » de furets, parfois déjà adultes, dont le maître ne peut plus s'occuper pour des motifs divers. C'est aussi une bonne idée, au moins pour deux raisons : elle offre au furet une nouvelle maison et remonte un peu le moral du propriétaire précédent, qui est certainement contraint de renoncer à son ami à contrecœur. Dans ce cas, essayez de récolter le maximum d'informations possible sur votre nouveau « locataire » : âge, habitudes alimentaires, éventuels problèmes de comportement, vaccinations effectuées (et date des rappels), maladies passées ou présentes.

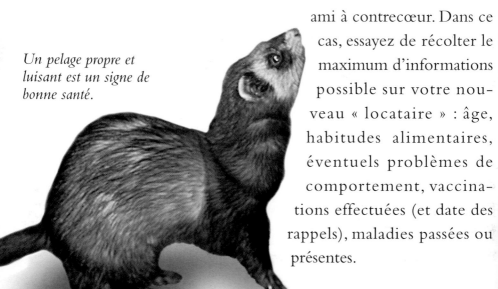

Un pelage propre et luisant est un signe de bonne santé.

Les critères de sélection

Est-il vrai...

... qu'il peut avoir un tatouage

Regard attentif, œil espiègle, curiosité pour tout ce qui se passe, pelage brillant, propre et uniforme, corps ni trop maigre ni trop gros, dents blanches, régulières et bien alignées, gencives roses : voilà toutes les caractéristiques d'un furet en bonne santé.

En entrant dans une animalerie, il peut arriver qu'on voie un furet portant deux petits points noirs tatoués sur l'oreille droite. Il s'agit d'un système que Marshall Farm, la principale entreprise américaine qui élève ces animaux, utilise pour marquer les individus qui ont été opérés. Le premier point indique qu'on a pratiqué une ablation des sacs anaux, responsables de l'odeur caractéristique des furets ; le second, que l'animal a été stérilisé.

Et pour le caractère ? Il suffit d'observer ce qu'il fait quand on s'approche. S'il se laisse prendre dans la main sans chercher à mordre, cela signifie qu'il est docile et qu'il s'adaptera bien dans sa nouvelle maison. Cependant, il est important de savoir que les jeunes furets sont habitués à jouer entre eux avec vivacité et que le fait de mordre fait partie du jeu, notamment parce que leur peau épaisse n'est pas délicate comme la nôtre.

Quelques couleurs

Champagne

Chocolat

Blanc

Zibeline

Pour eux, nos mains peuvent devenir un compagnon de «lutte libre», exactement comme un petit frère. Par conséquent, si le furet attaque, il ne faut pas penser que c'est un animal agressif. Si on lui laisse un peu de temps, il apprendra à jouer avec nous sans nous faire mal, exactement comme les chiots et les chatons. Une fois qu'on s'est assuré de sa bonne santé et de sa docilité, le choix de sa couleur n'est qu'une question de goût personnel.

Les jeunes furets arborent une espèce de petit masque à la Zorro, bande sombre qui traverse la partie supérieure du museau.

*La tête du mâle
(à gauche) est plus grosse
et plus large que
celle de la femelle.*

Mâle ou femelle ?

Si vous n'avez pas l'intention de mettre en place un élevage de furets – ce qui représente de nombreuses contraintes et demande une certaine dose d'expérience – le sexe n'a pas beaucoup d'importance car, du point de vue du caractère et du comportement, mâles et femelles sont absolument identiques. La seule différence est la taille : le mâle est plus gros (il peut peser le double de la femelle). Il est donc susceptible de causer moins de problèmes lorsqu'on le laisse en liberté dans la maison car il est plus difficile à « perdre ».

Quel âge doit-il avoir ?

C'est surtout une question de choix personnel car chaque âge comporte des avantages et des inconvénients. En général, les jeunes furets se prennent d'affection plus rapidement mais doivent être dressés.
Un animal adulte a peut-être besoin d'un peu plus de temps pour s'habituer à sa nouvelle vie avec vous mais, avec un peu de patience et les

Lorsqu'ils sont aussi petits, leurs activités principales sont manger et dormir.

bonnes attentions, il finira par s'attacher à son « maître » exactement comme un chiot. De plus, au moment de l'achat, il est plus facile de comprendre le caractère d'un furet déjà grand. Enfin, un animal « vieux » (5-6 ans) a manifestement moins de temps à passer avec vous, il a tendance à dormir plus et peut avoir quelques petits ennuis de santé. Cependant, il est plus calme et se laisse cajoler plus volontiers.

En solo ou en couple ?

Chaque furet a sa personnalité propre : certains sont plus affectueux et expansifs, d'autres sont plus réservés et indépendants. Son caractère mis à part, si l'on a la possibilité de lui consacrer suffisamment de temps pour jouer avec lui et lui faire des câlins, il n'a généralement pas besoin de « compagnon de captivité ». Dans le cas contraire, cela peut être une bonne idée d'en prendre deux : ils ne se sentiraient pas seuls lorsque le maître n'est pas à la maison et il serait très amusant de les observer pendant qu'ils jouent.

Deux furets élevés ensemble depuis leur plus jeune âge deviennent amis mais, en prenant quelques précautions, il est possible de donner un compagnon à un animal adulte. Habituellement, on conseille à ceux qui n'ont jamais eu de furet de n'en prendre qu'un au début pour avoir le temps de le connaître et de le dresser. Ensuite, au bout de six mois environ, on peut lui procurer un « petit frère ».

Si on les habitue à vivre ensemble depuis leur plus jeune âge, deux furets peuvent devenir de grands amis.

Je commence à le connaître

Corps allongé et très flexible, pattes courtes et trapues, queue longue et petit museau très sympathique, encadré par d'imposantes moustaches.

Son nom scientifique – *Mustela putorius furo* – est presque intimidant mais, en réalité, il signifie… voleur puant. Cet adjectif péjoratif fait référence à l'odeur de musc que dégage la peau des furets (comme celle des putois, leurs ancêtres) tant qu'ils ne sont pas stérilisés. Du reste, même le terme voleur est relativement approprié : dans la nature, en effet, ces animaux aiment cacher leurs proies dans leurs tanières, habitude qu'il conservent en vivant avec nous. Ils volent tous les objets qu'ils trouvent intéressants et les cachent dans un endroit secret. Attention donc aux clés de la maison, aux gommes et aux feutres, aux pièces et aux billets.

La carte d'identité

Nom scientifique	*Mustela putorius furo*
Origine	On pense qu'il est issu de la domestication du putois européen (*Mustela putorius*).
Taille moyenne	40-60 cm (queue comprise)
Poids moyen	mâle : 2 kg
	femelle : 0,4-1 kg
Durée de vie	moyenne 8-10 ans (mais il peut atteindre 12 ans)

Quelques informations sur les mustélidés

La famille des mustélidés, à laquelle appartient le furet, est celle qui comprend le plus grand nombre d'es-

pèces d'animaux carnivores : au moins 65. On en trouve sur tous les continents, à l'exception de l'Australie et de l'Antarctique, et les formes de leurs corps présentent une certaine ressemblance, même si leurs tailles sont très variables (des 35-70 grammes de la belette aux 35-40 kilos de la loutre de mer).

Une autre caractéristique commune à tous les mustélidés est la présence de ce que l'on appelle les sacs anaux, glandes bien dévelop-

Chez ce furet, le rose de la truffe est presque aussi tendre que ses grands yeux.

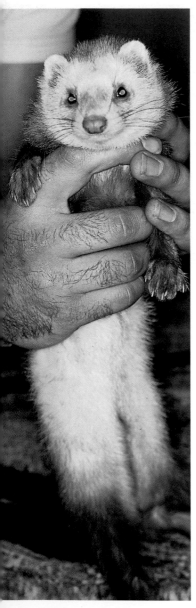

pées, situées au bord de l'anus et produisant un liquide à l'odeur très intense. Chez certaines espèces, ils constituent de puissantes armes de défense. Par exemple, la moufette est capable de projeter le contenu de ses glandes jusqu'à 2-3 mètres de distance, ce que le furet ne peut heureusement pas faire.

L'homme et le furet ont quelques points communs...

Comme l'homme, le furet appartient à la classe des mammifères, animaux qui se distinguent des autres par leur capacité à réguler leur température corporelle, leur corps recouvert de poils et le fait qu'ils allaitent leurs petits (à la différence des reptiles, par exemple, qui sont des animaux à sang froid, ont la peau revêtue d'écailles et, dans la plupart des cas, pondent des œufs). Cependant, ce n'est pas la seule ressemblance. Le furet a également une colonne vertébrale : en revanche, la sienne est beaucoup plus flexible que la nôtre, au point de lui permettre de se retourner dans un espace restreint pour entrer facilement dans les tanières souter-

raincs des animaux qu'il chasse ou se faufiler dans les plus petites anfractuosités de la maison, en se cachant et quelquefois... en se mettant dans une situation difficile. De plus, il possède des organes internes comme le cœur, les poumons, l'estomac, l'intestin et la rate.

Deux images qui démontrent que, comparées au corps, les pattes sont vraiment courtes.

... mais aussi des différences

Le corps
Le corps est svelte, les pattes sont courtes et trapues. Le cou, plutôt long, a le même diamètre que la tête. C'est pourquoi, si on a

Ici on distingue bien le pelage principal, plus épais, et le sous-poil, court et fin.

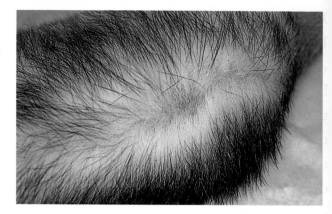

La mue

Le pelage change deux fois par an. Au printemps, le poil s'allège et raccourcit ; en automne, en revanche, il devient épais et constitue une sorte de fourrure pour affronter la saison froide. La couleur change aussi : il est plus clair pendant l'hiver et plus foncé en été. Ce phénomène, qui s'appelle la mue, peut se dérouler de manière progressive ou bien se manifester relativement soudainement, laissant sur l'animal des zones de peau nue... et son maître plutôt perplexe jusqu'à ce que le poil recommence à pousser.

l'intention de promener le furet en laisse, il faut utiliser un harnais pour qu'il ne puisse pas s'échapper.

Le pelage, fondamental pour assurer à notre ami une température corporelle constante, est composé de deux types de poils : des poils longs et raides, généralement de couleur sombre ; un sous-poil doux et court, qui n'est pas présent sur la tête, sur la queue ni aux extrémités des pattes.

Le museau

La tête est triangulaire, plus large chez les mâles et plus pointue chez les femelles, avec des oreilles assez petites. La truffe, le bout du nez qui porte le même nom chez le chien, peut varier du rose au noir ; de part et d'autre du museau se dressent de longues moustaches. Les yeux, petits et ronds, sont aussi de couleur variable : du noir au marron en passant par le rouge chez les animaux albinos, c'est-à-dire complètement blancs.

Les dents

Il y en a 34 en tout et, comme il s'agit d'un prédateur, elles ont toutes les caractéristiques de la denture d'un carnivore. Il y a 12 petites incisives, 4 canines pointues, 12 prémolaires et 6 molaires très acérées. Il existe quelques différences avec l'homme (par exemple, nous

Les épaisses moustaches sont loin de passer inaperçues.

n'avons « que » 8 incisives et 8 prémolaires, mais 12 molaires) mais les petits furets, comme les enfants, ont d'abord des dents « de lait », qui apparaissent 3-4 semaines après la naissance ; vers l'âge de deux ans, elles tombent et sont remplacées par des dents définitives.

Les pattes

Les pattes, aussi bien antérieures que postérieures, comptent cinq doigts munis de griffes non rétractiles (à la différence de celles des chats). Elles poussent continuellement et doivent donc être taillées assez régulièrement car le furet, en vivant dans nos maisons, ne les usent pas comme il le ferait dans la nature.

La main (à gauche) et le pied portent des griffes qui poussent en permanence. À en juger par sa queue, le furet de la page ci-contre est en train de regarder quelque chose qu'il n'a jamais vu.

La queue

Lorsque le furet se trouve dans un milieu qu'il ne connaît pas, il hérisse les poils de sa longue queue. Elle devient alors très grosse (exactement comme celle d'un chat). Une fois l'alerte passée, notre ami peut se détendre et sa queue retrouve son état normal.

Est-il vrai...

... qu'il ne transpire pas

Les furets ne peuvent pas disperser leur chaleur corporelle en excès comme nous le faisons, car ils sont « incapables » de transpirer, et ne peuvent pas non plus le faire en haletant comme le chien. C'est justement pour cette raison qu'ils sont très sensibles aux températures élevées, contre lesquelles ils n'ont pas de défense. Il est donc fondamental de vérifier qu'il ne fait pas trop chaud dans la pièce où séjourne notre sympathique maraudeur.

Je prépare son arrivée

Avant de ramener votre petit protégé chez vous, il est important que tout ce dont il a besoin soit prêt pour l'accueillir dans les meilleures conditions possibles.

C'est un animal très curieux, qui adore explorer son environnement.

Il n'est pas timide comme un cochon d'Inde ni peureux comme un lapin. Au contraire, il est curieux et entreprenant, mais on ne doit pas oublier qu'un changement d'environnement est toujours une expérience plutôt stressante. C'est pourquoi, en particulier s'il est encore jeune, il pourrait être un peu désorienté. Au début, il vaut donc mieux éviter de le laisser se promener d'une pièce à l'autre. L'idéal est de le mettre dans sa cage en lui donnant le temps de s'acclimater en toute tran-

quillité. Lorsqu'il se sera habitué à votre présence, vous pourrez le faire sortir pour qu'il donne libre cours à son instinct d'« explorateur ».

La réponse est incontestablement oui. Un furet peut dormir les trois quarts de la journée, en alternant des périodes de deux ou trois heures pendant lesquelles il est déchaîné et de longues « siestes ». Ce n'est pas tout : il a souvent un sommeil si profond qu'on ne réussit même pas à le réveiller en le prenant dans ses bras. Si cela arrive, inutile de s'inquiéter : c'est un comportement tout à fait naturel.

La cage

À moins que vous n'ayez l'intention de mettre une pièce entière à sa disposition, chose peu envisageable

dans un appartement, la cage est un accessoire indispensable. Il est vrai que le furet a besoin de passer quelques heures par jour en liberté pour jouer, faire de la gymnastique, être cajolé mais si on ne peut le surveiller en permanence pour lui éviter des désagréments, il faut le laisser dans sa cage. Il en va de même quand il dort.

La cage doit absolument empêcher toute possibilité de fuite. Elle doit donc comporter des

Si le nombre de furets augmente, il faut également accroître les dimensions de la cage afin qu'il y ait de la place pour tous.

grilles assez resserrées et un système de fermeture qui ne risque pas d'être fracturé. Les meilleures, en grillage métallique, sont robustes et faciles à nettoyer. Elles comptent parfois deux ou trois étages, reliés par des rampes ou des tubes : ils augmentent l'espace disponible et plaisent beaucoup au furet, qui s'amuse à monter et descendre d'un niveau à l'autre.

Cependant, le fond en grillage n'est pas adapté à ses petites pattes, qu'il pourrait blesser. C'est pourquoi il faut le couvrir avec un linge quelconque : un vieux T-shirt, une serviette, voire un morceau de linoléum.

Le « nid »

Si son cousin sauvage se réfugie dans des tanières creusées à même la terre, le furet domestique ressent lui aussi le besoin d'avoir un nid accueillant où se retirer pour dormir. Il peut s'agir d'un panier, d'une simple boîte en carton, facile à remplacer quand elle est sale, ou bien d'un tube en plastique (se faufiler dans des tubes, des galeries, des manches de vêtements, des vieux pantalons est une véritable passion).

Un panier pour chien n'est pas la solution idéale : notre ami préférerait dormir sous le coussin.

Pourquoi utiliser une caissette ?

Quand il est dans sa cage, il apprend vite car, comme nous l'avons dit, il aime vivre dans un environnement propre. Il faut simplement changer régulièrement la litière – sinon il pourrait refuser d'utiliser la caissette – en laissant malgré tout quelques « traces » de ses précédents passages pour ne pas qu'elle serve de terrain de jeux dans lequel creuser ou se rouler. Les problèmes éventuels apparaissent quand il se déplace librement dans la maison. Il faut commencer par l'emmener dans une pièce assez petite, en plaçant la caissette dans un coin. Chaque fois que le furet l'utilise, il faut le récompenser immédiatement par de nombreuses félicitations, quelques caresses et un petit cadeau (sa friandise préférée, par exemple). Il comprendra tout de suite que les choses sont liées et fera tout pour obtenir une récompense.

Caissette et litière

Les furets ont l'habitude de faire pipi dans un coin de la cage, toujours le même. C'est donc une bonne idée d'installer à cet endroit une caissette remplie de litière : notre ami, qui est un animal très propre par nature, apprendra vite à l'utiliser, exactement comme un chat, même s'il n'est pas aussi méticuleux pour recouvrir ses déjections.

Dans les animaleries, on trouve des caissettes conçues spécialement pour les furets, de forme triangulaire et donc très pratiques à installer dans un coin, avec deux parois très hautes pour protéger les murs de la maison d'éventuels « accidents ». Cependant, une simple

bassine en plastique conviendra très bien à condition d'avoir un bord assez élevé. Naturellement, quand le furet est libre de se déplacer d'une pièce à l'autre, il faut installer plusieurs caissettes dans des lieux « stratégiques ».

Pour ce qui est de la litière, les meilleurs matériaux sont les bandelettes de papier recyclé et le pellet à base de rafle (le cœur rigide) de maïs. Ils sont très absorbants et ne laissent pas de poussière.

Animal très propre par nature, le furet apprendra très vite à utiliser sa caissette.

Gamelle et abreuvoir

Une gamelle en céramique, qu'il ne pourra pas renverser.

Joueur, le furet est très doué pour renverser les récipients qui contiennent sa nourriture. Il est donc conseillé d'utiliser des bols en céramique, que leur poids empêche de se retourner, ou des récipients à suspendre aux parois de la cage.

Pour l'eau, qui doit être changée tous les jours, l'idéal est un abreuvoir goutte-à-goutte à nettoyer et désinfecter régulièrement.

Les jouets

C'est plus fort que lui : dès qu'il voit une petite poupée, il la ronge, la met en pièces et avale les petits morceaux. Cependant, les conséquences peuvent être très graves. C'est pourquoi il faut le tenir éloigné des jouets en plastique mou et des animaux en peluche. En revanche, les objets en plas-

Pas de peluches, de petites figurines avec éléments détachables ni de lacets. En revanche, les objets à ronger en peau et les balles en plastique dur sont excellents.

tique dur ou toute autre matière résistant à la mastication conviennent bien, y compris les balles de tennis et de ping-pong. Sans parler des jouets dotés d'une clochette ni de ceux qui émet-

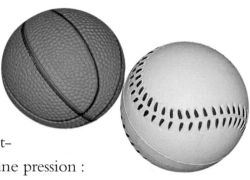

tent un bruit lorsque l'on exerce une pression : pour lui, c'est comme s'il chassait une proie, ce qui le rend très heureux. Une idée pour réaliser un parc de jeux avec des matériaux récupérés dans la maison ? Prenez différentes boîtes en car-

ton, percez des trous à la taille du furet et reliez-les l'une à l'autre par une galerie construite avec des bouteilles en plastique dont vous aurez coupé les extrémités.

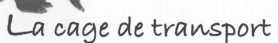

La cage de transport

Elle sert à ramener à la maison le furet que l'on vient d'acheter, mais elle est tout aussi utile pour les vacances et les visites chez le vétérinaire. C'est une cage de transport classique pour chat ; elle doit être robuste, lavable et assurer à notre ami une sensation de protection. Les mieux adaptées sont en plastique avec une porte en métal car celles qui sont entièrement métalliques ont l'inconvénient de présenter des ouvertures de tous les côtés : le furet ne se sentirait pas suffisamment en sécurité.

Une couche de papier journal disposée au fond facilite les opérations de nettoyage, tandis qu'un chiffon propre constituera une tanière confortable lorsqu'il aura sommeil.

Et encore...

Voici un autre accessoire, que l'on ne peut pas définir comme indispensable mais qui sera certainement très apprécié : il s'agit du hamac, à suspendre à l'intérieur de la cage, dans lequel le furet adore dormir.

Pour les promenades à l'air libre, il faut un harnais, une laisse et, par précaution, une petite médaille portant l'adresse et le numéro de téléphone du propriétaire.

Pour les sorties en liberté dans la maison, en revanche, mettez-lui un collier à clochette de manière à le localiser facilement.

Pour les promenades dans la maison, l'idéal est un collier à clochette, qui permet de savoir en permanence où il se trouve.

Bon appétit !

Si l'on veut que son furet soit en bonne santé, il est très important de lui fournir une alimentation qui tienne compte de ses besoins, aussi bien en termes de qualité que de quantité.

Le furet est un « pur » carnivore car son organisme a besoin d'aliments d'origine animale, surtout parce qu'ils sont riches en protéines, les briques grâce auxquelles le corps grandit et devient fort. En revanche, cet animal est incapable d'utiliser de manière efficace les protéines contenues dans les végétaux.

Autre caractéristique : il « brûle » si rapidement la nourriture qu'il consomme qu'il doit manger peu et souvent. Que peut-on lui donner ?

Est-il vrai... ?

... qu'il faut le mettre au régime

Compte tenu de sa vivacité, il semble impossible que le furet prenne du poids, mais certains ont tendance à grossir. Comme pour l'homme, ce n'est pas seulement une question « esthétique » : cela peut représenter un danger pour la santé. Avant tout, il faut qu'il se dépense plus en laissant à sa disposition le maximum d'espace possible pour qu'il puisse courir. On doit ensuite réduire d'un quart sa quantité de nourriture, en diminuant les doses par pallier sur plusieurs jours. Il faut aussi éliminer toutes les « récompenses » à l'exception des légumes, peu caloriques.

Aliments secs...

Ce sont les croquettes ; les animaleries proposent différentes marques, conçues spécialement pour les furets. Pour l'alimentation quotidienne, il faut incontestablement les préférer aux ali-

ments « humides » en boîte car elles contri-
buent à préserver la santé des dents et des
gencives, ne se détériorent pas et peuvent
donc être laissées à la disposition de notre
ami. Si l'on ne parvient pas à trouver des
croquettes spécifiques pour les furets, celles
pour chat conviennent également à condition qu'elles soient de type « premium »,
c'est-à-dire de bonne qualité.

Il préfère manger peu mais souvent, c'est pourquoi il est important qu'il ait toujours à sa disposition de la nourriture et de l'eau.

... et aliments humides

De temps en temps, pour habituer le furet à
des saveurs différentes, il est conseillé de lui
donner de la nourriture en boîte. Par rap-

Outre les croquettes pour furets, on peut lui donner des croquettes pour chats, de type « premium ».

port aux croquettes, les aliments humides sont plus « contraignants » non seulement pour l'estomac de notre petit protégé, mais aussi pour son maître : en effet, ils se détériorent rapidement ; aussi ne faut-il pas les lui laisser dans sa gamelle du matin au soir.

Friandises spéciales

Lorsqu'il se comporte bien (il fait ses besoins dans la caissette même s'il se déplace dans la maison), il faut le récompenser avec une friandise. Ne le faites pas systématiquement car cela deviendrait plus un « vice ».

Parmi les aliments qu'il préfère, la viande figure certainement en première place (il faut la lui donner cuite et sans os), suivie des œufs durs et du fromage. Il aime aussi les fruits et les légumes, crus

« Ne le répète à personne »

Son maître mange une glace et le furet le regarde avec ses petits yeux complices, comme pour le convaincre de lui en donner un peu en cachette, à l'insu de tous. Céder serait une erreur : en effet, cela pourrait même lui faire du mal. Cependant, il n'est pas juste non plus de se sentir coupable de ne pas lui avoir fait plaisir. Il n'y a qu'une solution : éviter de manger une glace devant lui pour... ne pas susciter la tentation.

ou cuits : courgettes et haricots verts, mandarines, melons, bananes, raisins secs et dattes. Dans ce cas, c'est avant tout une question de goûts personnels, qui peuvent beaucoup varier d'un furet à l'autre.

Une friandise de temps en temps le rendra très heureux, mais il ne faut pas exagérer.

Enfin, les « friandises » comme le pain, les biscuits et les bonbons ne doivent être distribuées qu'en petite quantité et occasionnellement car elles sont difficiles à digérer.

Eau à volonté

L'eau ne doit jamais manquer. Le furet en boit des quantités qui, à nos yeux, peuvent nous sembler ridicules mais il faut la changer tous les jours et contrôler régulièrement que l'abreuvoir goutte-à-goutte fonctionne en mettant le doigt sur son extrémité pour voir si l'eau coule facilement.

Les règles à suivre

Les repas. Le furet n'a pas d'horaires précis pour manger et, comme nous l'avons vu, étant donné qu'il « brûle » très rapidement tout ce qu'il consomme, il aime prendre des repas légers mais fréquents. Il se « met à table » près de dix fois par jour et, s'il n'a pas de problème d'obésité nécessitant un régime, il est parfaitement en mesure de se réguler seul si vous laissez des croquettes à sa disposition.

Une « ligne » vraiment parfaite. Cela signifie que son régime alimentaire est adapté, aussi bien en termes de type d'aliments que de taille des portions.

Température. Les aliments frais donnés comme récompense doivent être à température ambiante : ils ne doivent jamais sortir tout droit du réfrigérateur ou du feu.

L'importance de la variété. En habituant le furet depuis son plus jeune âge à différents types d'aliments, évidemment parmi ceux qui lui sont adaptés, il mangera plus volontiers ce qu'on lui propose sans se

lasser de sa nourriture habituelle ni faire le difficile parce qu'il veut un aliment précis.

Attention aux cachettes. C'est une question d'instinct : de nombreux furets ont l'habitude de cacher des morceaux d'aliments
partout dans la maison. Si cela arrive avec des
croquettes, cela ne provoquera rien d'autre
qu'un peu de désordre. Cependant, s'il le fait
avec un aliment humide, celui-ci risque de se
détériorer rapidement, ce qui générera de
mauvaises odeurs et, surtout, représentera un
danger pour la santé de notre ami au cas où il
déciderait ensuite de le manger. Il faut donc
toujours vérifier s'il consomme immédiatement son repas ou s'il court le dissimuler.

*Il est attiré par les choses
les plus étranges, mais ce
n'est pas toujours
conseillé de le laisser
essayer.*

Sa santé

Prendre soin de la santé de son furet signifie lui fournir l'aide dont il a besoin, le protéger des dangers éventuels et l'emmener régulièrement chez le vétérinaire pour les vaccinations et une visite de contrôle.

En général, un furet tombe difficilement malade : s'il vit dans une cage propre et spacieuse, qu'il a la possibilité de courir, se déplacer et jouer librement chaque jour, s'il mange des aliments nourrissants et adaptés, il restera en bonne santé jusqu'à sa « vieillesse ». Il deviendra alors plus calme et dormira plus, mais en contrepartie il sera plus doux et plus tendre. Hormis ces règles fondamentales, certains petits gestes quotidiens procurent un bien-être à notre petit protégé et permettent d'établir avec lui un rapport d'amitié et d'affection.

Le poil

Le pelage du furet ne nécessite aucun soin particulier : en effet, cet animal s'occupe seul de sa toilette (si vous en possédez deux, ils s'aideront en se léchant chacun à leur tour comme le font les chats). Les seuls moments critiques sont les périodes de mue, au printemps et en automne, car il a tendance à perdre beaucoup de poils et les avale inévita-

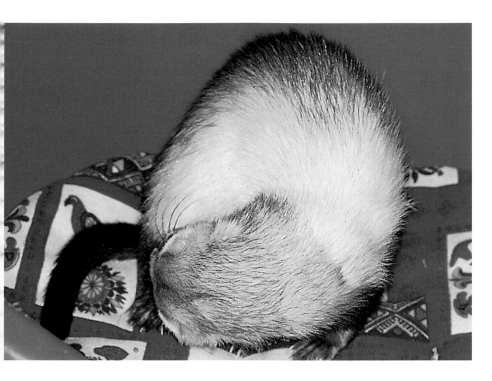

blement lorsqu'il se nettoie. Dans ce cas, il est conseillé de le brosser régulièrement pour enlever les poils morts et de le purger légèrement avec une pâte pour chat de façon à favoriser l'élimination de ceux qu'il a avalés.

Les furets nettoient leur pelage avec grand soin, exactement comme les chats.

Les griffes

Dans la nature, le problème ne se pose pas. Cependant, quand il vit en appartement, il a

Ces griffes ont justement besoin d'être taillées.

moins de possibilités d'user ses griffes, qui poussent continuellement comme nos ongles. Elles doivent donc être coupées toutes les 2–4 semaines, selon les besoins, sinon elles pourraient se casser ou rester accrochées quelque part et faire souffrir notre ami.

Le furet n'apprécie pas beaucoup cette opération et en général il s'agite, c'est pourquoi on peut essayer de le faire lorsqu'il dort profondément et qu'il ne peut pas s'en rendre compte. On peut aussi tenter de le distraire en lui offrant sa friandise préférée, de manière qu'il soit tout occupé à la ronger.

Quoi qu'il en soit, on utilise un coupe-
ongles pour chat et il faut faire très attention
à ne pas toucher la partie rose de la griffe, la
plus proche du doigt. Les premières fois, si
vous ne savez pas comment exécuter une
coupe sans danger, il vaut mieux demander
conseil au vétérinaire.

Les dents

Les dents du furet, comme celles des hommes,
des chiens et des chats, sont victimes de la tris-
tement célèbre plaque bactérienne qui, à la
longue, se transforme en tartre. Celui-ci ne
peut être éliminé que par le vétérinaire avec
un appareil adapté, tandis que la plaque peut
être combattue par un nettoyage régulier des
dents effectué à la maison (cependant, le furet
n'est pas toujours d'accord). Il suffit de frotter
les dents et les gencives avec une gaze ou une
brosse spéciale sur laquelle on applique un
dentifrice sans rinçage pour chien et chat. Une
autre méthode consiste à déposer directement
dans la bouche une petite dose de dentifrice :
en le léchant, le furet le répandra sur ses dents.

*On contrôle
l'emplacement de la veine
(partie rose de la griffe),
on taille au-dessous et on
vérifie le résultat.*

Il est très important de lui nettoyer régulièrement les oreilles.

Les oreilles

Le nettoyage des oreilles est une autre opéra-tion que le furet n'apprécie pas vraiment, mais qui doit être effectuée toutes les 1–2 semaines. Il a pour fonction d'éliminer le cérumen, qui

a tendance à s'accumuler, en utilisant l'un des produits du commerce destiné au nettoyage des oreilles des chiens et des chats.

On saisit le furet par la peau de la nuque en le soulevant pour l'immobiliser, on met quelques gouttes de produit dans chaque oreille et on masse délicatement. On enlève ensuite le cérumen situé au bord avec un mouchoir en papier et on laisse repartir le furet : en secouant la tête, il se débarrassera progressivement de celui qui s'est entassé à l'intérieur. En revanche, il est très mauvais d'utiliser des Coton-Tige car on ne ferait que repousser le cérumen encore plus au fond.

Le bain

Certains furets se laissent volontiers laver, surtout s'ils y sont habitués depuis leur plus jeune âge, alors que d'autres détestent le bain. Dans tous les cas, à moins qu'il n'ait fait une bêtise quelconque et qu'il se soit sali, il est conseillé de limiter cette opération à une fois par mois. Voyons donc le déroulement de ce moment délicat.

1. On remplit le lavabo ou une grosse bassine avec un peu d'eau tiède et on immerge complètement le furet.

2. On applique ensuite un shampoing doux pour chat ou furet, éventuellement un shampoing pour bébé.

3. On masse bien en faisant attention de ne pas faire entrer d'eau dans les oreilles ni de shampoing dans les yeux.

4. Enfin, on rince abondamment à l'eau.

5. Maintenant, il ne reste plus qu'à le sécher...

6. ... et admirer le résultat.

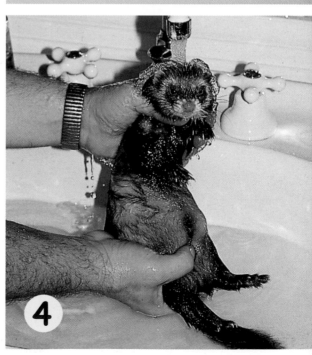

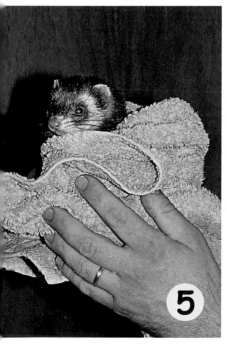

Avant de le faire sortir de sa cage, il est conseillé de placer hors de sa portée tout ce qui doit l'être.

Les dangers de la maison

Courir, se déplacer : cela fait beaucoup de bien au furet, qui a besoin de passer du temps hors de sa cage, notamment pour recevoir les câlins de son maître qui le rendent si heureux. Cependant, il est important de ne jamais le perdre de vue pour ne pas qu'il provoque de catastrophe ni ne se mette dans une situation difficile. L'idéal est de déterminer une zone de sécurité, par exemple une pièce assez dégagée, sans tapis ni meubles fragiles qu'il pourrait ronger. Voici les principales précautions à prendre :

• le furet aime fouiner dans les moindres recoins et se faufiler partout où il le peut. Il

faut donc choisir la pièce qui offre le moins
de possibilités de fuite ou de cachette, en évi-
tant notamment les meubles derrière lesquels
vous auriez du mal à le récupérer ;
• il est important que la porte de la pièce soit
fermée pour ne pas être obligé ensuite de
chercher le « fugitif » dans toute la maison ;
• on doit s'assurer qu'il n'y a pas de produits
dangereux dans la pièce, comme des plantes
vénéneuses (telles que le poinsettia et l'azalée),
des médicaments, des paquets de cigarettes,
des bouteilles de détergent. Attention également aux fils électriques et du téléphone : cela
semble incroyable mais il est incapable de
résister à la tentation de les ronger, au risque d'endommager
les installations et, surtout, de
subir une décharge ;
• enfin, si vous ouvrez un réfrigérateur, une armoire ou autre
quand votre ami est dans les
parages, vérifiez toujours bien où
il se trouve avant de refermer la
porte car il pourrait s'y être
introduit en un clin d'œil.

Symptômes de mal-être

Un furet en bonne santé est attentif, curieux, se déplace avec une grande agilité et de manière coordonnée. Certains signes nous aident à comprendre à quel moment une visite de contrôle s'impose.

- Il est nonchalant ou abattu.
- Il est terré dans un coin de la cage.
- Il refuse la nourriture.
- Il perd ses poils.
- Il se gratte en permanence.
- Il a maigri.
- Il tousse ou respire mal.
- Il a un comportement agressif, alors qu'il a toujours eu un caractère docile.

Le vétérinaire

Les visites de contrôle sont l'un des rares « devoirs » du maître envers son furet. Celles-ci ne concernent pas seulement les jeunes mais aussi les sujets adultes, qui doivent y être emmenés au moins une fois par an pendant toute leur vie (et tous les 6 mois

à partir de l'âge de 4-5 ans, lorsqu'ils deviennent « vieux »). Outre le fait de choisir un vétérinaire ayant une certaine expérience, l'important est de bien commencer en assurant à l'animal un trajet confortable jusqu'au cabinet dans sa cage de transport : notre ami arrivera calmement sur la table d'examen, la visite sera plus facile et plus complète.

Les vaccinations

Exactement comme les nouveau-nés, les petits furets sont protégés des maladies au

Un comportement nonchalant et mélancolique pourrait signifier que quelque chose ne va pas.

Ce jeune furet a deux mois et va bientôt recevoir sa première vaccination, qui le protégera de la maladie de Carré.

cours de leurs premiers mois de vie grâce à des substances particulières contenues dans le lait de la mère. Quand ils commencent à se nourrir seuls, cependant, ces substances ne sont plus présentes et il faut donc leur fournir des « substituts », que sont justement les vaccinations.

Celle contre la maladie de Carré, maladie qui touche aussi le chien et qui est très dangereuse chez le furet, est pratiquement indispensable. La première dose doit être administrée à 6-8 semaines ; une deuxième injection dite « de rappel » est pratiquée à

10-12 semaines environ et une troisième, à 13-14 semaines. Le rappel est ensuite effectué à peu près tous les 12 mois. Si la date n'est pas très précise par rapport à l'année précédente, rien de grave mais le carnet de santé, rempli par le vétérinaire à l'oc-

Est-il vrai...
qu'il faut le faire opérer

Cette intervention, qui porte le nom de stérilisation, se pratique autant chez les mâles que chez les femelles pour éviter qu'ils aient des petits. Cela peut sembler cruel mais, pour les furets domestiques, c'est absolument nécessaire non seulement parce que cela permet d'éliminer définitivement la mauvaise odeur de ces animaux, mais aussi pour deux autres raisons. Dans le cas des femelles, cela empêche la manifestation d'une maladie très grave ; quant aux mâles, cela les rend moins agressifs. L'opération se déroule en général à l'âge de 6-8 mois et, comme elle est effectuée sous anesthésie générale, elle n'occasionne aucune douleur ni aucun « trouble » au furet, qui se rétablira très vite.

casion de la première vaccination et mis à jour à chaque fois, aidera le maître ou la maîtresse à se rappeler la date de la prochaine.

Une autre vaccination est parfois conseillée : celle contre le virus de la grippe humaine, qui « agit » sur le furet comme sur nous en provoquant fièvre, toux, éternuements, fatigue. Notre ami peut attraper la grippe auprès d'un autre furet, mais aussi d'un membre de la famille et à son tour... vous la transmettre. Le vaccin est le même que pour l'homme, la dose est évidemment différente.

Les moments de jeu

Il apprend vite à reconnaître son « maître » et, même s'il boude rarement les étrangers, il montre clairement qu'il préfère être avec lui.

Cela ne fait aucun doute : la caractéristique la plus évidente du furet est sa curiosité. Lorsqu'il se trouve dans une pièce qu'il ne connaît pas, il est quasiment impossible d'obtenir son attention avant qu'il ait examiné chaque recoin et chaque objet. Avec les humains, il se comporte de la même manière : son intérêt pour eux est tel qu'il a envie de les « explorer », à tel point qu'il se laisse caresser sans méfiance même par un parfait étranger. Cependant, le rapport qu'il établit avec son maître est vraiment très particulier : il aime se faire cajoler et rend généreusement l'affection qu'il reçoit, souvent par des coups de

langue pleins de tendresse. Bien qu'il s'attache à tous les membres de la famille, il affiche généralement une préférence pour une personne précise, celle qui joue avec lui et lui donne à manger.

Après avoir fureté de toutes parts, comme on est bien dans les bras de son maître adoré !

Un « gentleman » dans la maison

Avoir un animal « bien élevé », qui répond quand on l'appelle et obéit à quelques ordres, est peut-être le rêve de tout maître. Avec un furet, il n'est pas impossible à réaliser : c'est un animal intelligent, vif, qui a toujours envie de s'amuser et qui vivra comme un jeu même une petite... leçon sur les bancs de l'école. La chose la plus difficile à obtenir est son attention prolongée et, surtout, il est inutile d'essayer de lui apprendre quoi que ce soit lorsqu'il se trouve dans un environnement nouveau : tout occupé à explorer les moindres recoins, il n'écoutera rien.

Comment le prendre dans la main ?

Nous avons vu que pour l'immobiliser, par exemple pour lui nettoyer les oreilles, ou pour le gronder, la méthode consistait à le saisir par la peau de la nuque pour l'empêcher de se débattre. Dans tous les autres cas, il est conseillé de passer une main sous son thorax et de soutenir avec l'autre ses pattes postérieures.

Pour qu'il apprenne à « répondre »

C'est une des premières choses à lui apprendre, très utile notamment quand il se promène dans la maison et qu'on ne réussit pas à le trouver . Pour l'habituer à se manifester quand son maître l'appelle, cela ne sert à rien de prononcer son nom car, dans la plupart des cas, il n'obéira pas. Il vaut mieux utiliser un son (sifflet ou clochette) toujours associé à une friandise qu'il aime bien. Dès qu'il l'entendra, il accourra pour recevoir sa récompense.

La signification de « non »

Il faut qu'il comprenne quels sont les comportements à éviter : par exemple, quand il est petit, mordiller les doigts de son maître sous le coup de l'enthousiasme comme il le faisait en jouant avec ses frères et sœurs.

Après quelques « non » fermes en réponse à chacune de ses morsures, il est très probable qu'il se résigne et arrête. Si ce n'est pas le cas, la meilleure chose à faire est de le saisir par la peau de la nuque et de le soulever de terre : en langage de furet, cela signifie « c'est moi le chef et tu dois obéir ».

Avec un peu de patience – et peut-être aussi quelques réprimandes – le furet apprendra à jouer avec son ami humain sans lui faire mal.

Vie en plein air

Si le laisser libre de ses mouvements dans un appartement nécessite mille attentions, imaginons ce que peut signifier le fait de l'emmener dehors. Cependant, il serait injuste de le priver du plaisir de jouer en plein air.

Si vous possédez d'autres animaux

Si l'on a déjà un autre animal, il est inévitable de se demander comment l'« aîné » se comportera face au nouvel arrivant car sa jalousie pourrait jouer de mauvais tours.

Chien. Le furet ne le craint absolument pas. C'est pourquoi il pourrait essayer de jouer, en lui tirant les oreilles ou en lui mordillant les pattes, et notre Médor pourrait mal réagir. Voici quelques astuces pour les aider à se connaître. Première étape : mettez une muselière au chien et laissez les animaux se renifler un peu. Deuxième étape : si le chien se comporte bien et n'a pas l'air de considérer le petit rongeur comme une friandise insolite, ôtez la muselière mais tenez-le en laisse. Troisième étape : après plusieurs séances d'entraînement et maintenant que vous êtes certain de ses intentions, vous pouvez détacher le chien. Attention cependant : il est toujours conseillé de donner à manger aux deux animaux séparément et il ne faut jamais laisser le furet s'approcher si le chien tient dans sa gueule l'un de ses jouets, par exemple un os factice.

Quoi qu'il en soit, avant d'essayer, il faut attendre qu'il se soit habitué à votre compagnie et qu'il se soit attaché à son maître. Il serait également utile qu'il ait appris à se manifester quand on l'appelle et à marcher en laisse après quelques séances d'entraînement. La première fois, il est conseillé de choisir un endroit calme avec peu de personnes et, si

Chat. Il est plus petit que le chien mais ses coups de griffe peuvent être meurtriers. Là encore, il est donc nécessaire que chaque animal s'habitue progressivement à la présence de son nouveau compagnon. Une personne doit tenir dans ses bras le chat et une autre le furet, en leur permettant de se renifler mais... à bonne distance. Les choses sont beaucoup plus simples avec un chaton mais, dans ce cas, il faut s'assurer que le furet ne lui fera pas mal, non par méchanceté mais simplement parce qu'il veut jouer de manière trop impétueuse.

Lapin, hamster et souris. C'est certainement un rapport dangereux, même avec un furet qui a bon caractère car les lapins, tout comme les petits rongeurs, représentent des proies naturelles pour les mustélidés et pourraient donc réveiller l'instinct de chasseur du furet. Il vaut mieux éviter qu'ils ne soient en contact.

Canaris et autres oiseaux. La cage des oiseaux doit être placée totalement hors de portée du furet et, mieux encore, dans une pièce où il ne peut pas entrer.

possible, sans bruit de circulation. Il est possible que, malgré ces précautions, il ait peur. Il vaut alors mieux le remettre quelque temps dans sa cage de transport pour qu'il se rassure et réessayer plus tard. S'il ne réussit vraiment pas à s'habituer, la solution la plus sage est de renoncer aux « expéditions » à l'extérieur, qui sont visiblement trop stressantes pour lui.

SES VACCINS

PREMIÈRE INJECTION À 6-8 SEMAINES   DATE ....

PREMIER RAPPEL À 10-12 SEMAINES   DATE ....

DEUXIÈME RAPPEL À 13-14 SEMAINES   DATE ....

RAPPELS ANNUELS SUCCESSIFS :

DATE ....   DATE ....

DATE ....   DATE ....

DATE ....   DATE ....

DATE ....   DATE ....

DATE ....   DATE ....

POUR EMMENER LE FURET À L'ÉTRANGER,
LA VACCINATION ANTIRABIQUE EST OBLIGATOIRE

PREMIÈRE VACCINATION   DATE ....

RAPPELS ANNUELS SUCCESSIFS :

DATE ....   DATE ....

DATE ....   DATE ....

DATE ....   DATE ....

DATE ....   DATE ....

DATE ....   DATE ....

BIBLIO RPL Ltée

G - OCT. 2006